Tomke

De boekjes fan Tomke, Romke en Kornelia steane
ticht by it deistich libben fan lytse bern.
Bern werkenne harren sels yn de aventoeren;
se reagearje op wat se sjogge en hearre.
Sa wurdt lêzen mear!

Tomke is in projekt dat âlden en liedsters fan
pjutten ynformearje wol oer it brûken fan taal
yn 'e omgong mei jonge bern. Foarlêze, ferskes
sjonge, (taal)spultsjes en oandacht foar de
deistige saken is wichtich foar it lizzen fan in
goede taalbasis. Dat jildt foar alle talen, dus ek
foar it Frysk: bern dy't harren memmetaal goed
behearskje, kinne makliker in oare taal leare.

By it Tomkeprojekt heart in webside (www.tomke.nl)
mei spultsjes, ferskes en ferhaaltsjes foar bern
en mei ynformaasje lykas lesbrieven foar âlden en liedsters.

Nei de toskedokter

skreaun troch Geartsje Douma
yllustrearre troch Luuk Klazenga

afûk

Plof! de post falt op de matte.

Romke draaft nei 't gonkje ta,

pakt in kaart – hap – yn syn bekje,

bringt 'm nei Kornelia.

't Wite kaartsje is foar Tomke.

Toskedokter Van der Ven

wol moarnier om njoggen oere

syn gebitsje graach besjen.

'Romke moat ek mei!', ropt Tomke.

'Sûnder Romke is it stom!'

Kornelia seit: 'Nee, dat kin net.

Wy binne sá wer werom.'

Kornelia en Tomke geane

moarnsier mei de fyts op wei.

Romke giet, stikem ferstoppe

yn de boadskiptas, ek mei.

'Dach Kornelia, hoi Tomke',

seit Auke, de assistint.

'Meist fuort nei de toskedokter,

want syn sprekoere begjint.'

'Tomke', seit de toskedokter,

'wolst my wol in hantsje jaan?

Asto lekker yn de stoel sitst,

Van der Ven seit: 'Gean mar sitten.'

Mar wat wurde se dan kjel!

Ut de tas springt in lyts hûntsje.

It komt – plof – op Tomke del.

'Au!', raast Tomke. 'Waf!', blaft Romke.

'Fuort hûn!', ropt de assistint.

Mar de toskedokter laket:

''k Ha in hûntsje as pasjint.'

Kornelia is lulk op Romke.

En foar straf moat hy der út.

Efkes letter sit de doerak

yn it finsterbank foar 't rút.

Tomke docht de mûle iepen.

Hy is einlings oan de beurt.

'Moai sa', seit de toskedokter,

as hy Tomkes toskjes keurt.

'Tomke', seit de toskedokter,

'do meist by myn assistint

noch wat út it laadsje sykje,

want do bist... in flinke fint!'

Tomke nei de toskedokter
skriuwer Geartsje Douma
yllustraasjes Luuk Klazenga
foarmjouwing Monique Vogelsang
© 2010 Afûk, Postbus 53, 8900 AB Ljouwert

ISBN 978 90 6273 827 4
NUR 271

www.afuk.nl
www.tomke.nl